MAX
y la pelota

Barbro Lindgren
Eva Eriksson

Planeta

Ahí viene Max.

Max tiene una pelota.

Max juega con su pelota.

9

Llega el gato. ¡MIAU, MIAU!

El gato coge la pelota.

El gato juega con la pelota.

¡GATO MALO!

Max quiere la pelota.

Max echa al gato.
¡MIAU, MIAU!

Max coge la pelota.

El gato sigue a Max.

El gato quiere jugar.
Es un gato bueno.

El gato sabe jugar a pelota.
Max y el gato juegan muy bien.

Colección
El Pequeño Max

Dirigida por
José Pardo

Título original: Max Boll
Traducción de Herminia Dauer Cirlot

© Texto: Barbro Lindgren, 1982
© Ilustración: Eva Eriksson, 1982
© Editorial Planeta, S. A., 1983, para los países de lengua española
Córcega, 273-277, Barcelona-8 (España)
Cubierta: Eva Eriksson
Depósito legal: B. 38339-1983
ISBN 84-320-6745-8
ISBN 91-29-55503-5 editor Ab Rabén & Sjögren, edición original
Printed in Spain - Impreso en España
Grafson, Luis Millet, 69, Esplugas (Barcelona)